P9-CQC-755

Klaus G. Förg

Schloss Herrenchiemsee
und die Fraueninsel

Texte von Bernhard M. Edlmann

rosenheimer

Medaillon mit Porträt Ludwigs II. im Ovalsalon von Herrenchiemsee, die einzige Darstellung des Königs im ganzen Schloss
Médallion with portrait of Ludwig II in the Oval Salon at Herrenchiemsee. This is the only representation of the king in the whole palace
Médaillon avec un portrait de Louis II dans le salon ovale de Herrenchiemsee, l'unique représentation du roi dans tout le château
Medaglione con il ritratto di Ludovico II. nel salone ovale di Herrenchiemsee, unico ritratto del Re in tutto il Castello
ヘレンキムゼー城楕円形の客間の中にある円形牌 — 城内で唯一、ルードヴィッヒ王を表すもの

Stein gewordene Träume eines Herrschers

Schloss Herrenchiemsee

Den bayerischen König Ludwig II. umgab stets die Aura des Geheimnisvollen. Über seinen Tod im flachen Uferwasser des Starnberger Sees gehen heute noch die abenteuerlichsten Gerüchte um – bis hin zu der anscheinend nicht auszurottenden Behauptung: »Den hat der Bismarck umbringen lassen!« Aber auch schon zu seinen Lebzeiten galt der menschenscheue Monarch bei vielen als reichlich ungewöhnliche Persönlichkeit. Dass er diesen Nimbus selbst gefördert hat, ist bekannt, und die Briefstelle, nach der er sich und anderen »ein ewig Rätsel« bleiben wolle, ist eine seiner meistzitierten Äußerungen.

Wenn wir uns heute in die Schar derer einreihen, die seine Schlösser besuchen und bestaunen, missachten wir genau genommen seinen Willen. Die prunkvollen Bauten sind nämlich nicht für die Öffentlichkeit angelegt worden; der König hatte sogar angeordnet, sie sollten nach seinem Tod gesprengt werden. Man könnte sie als Stein gewordene Träume des Monarchen bezeichnen, sie sind architektonische Inszenierungen von Themen aus Geschichte und Mythos, die der »Märchenkönig« – allein oder im Kreis von nur wenigen Vertrauten – »nacherleben« wollte. Zu diesem Zweck ließ er gern private Schlossfeste, oder besser gesagt: ritualisierte Schlossbegehungen, stattfinden, meist bei Kerzenschein – Ludwig war ja ein Nachtmensch. Dabei wurden zum Teil sogar Kleider aus der jeweils dargestellten Epoche und Landschaft getragen und entsprechende Speisen und Getränke aufgetischt.

Das architektonische Thema von Herrenchiemsee ist der französische Barock aus der Zeit von Louis XIV., dem von Ludwig so sehr verehrten »Sonnenkönig«. Überall ist Schloss Versailles Pate gestanden: im Stil, im Grundriss, in der Abfolge und Gestaltung der Räume, bis hin zu den Themen von Deckengemälden. Aber es blieb nicht bei einer bloßen Kopie des großen französischen Vorbilds. Ludwigs Insel-Versailles steckt voller geistreicher Symbolik und verschlüsselter Anspielungen, auf die der äußerst gebildete und vielseitig interessierte König viel Wert legte und die für uns Heutige sicherlich nur noch zum Teil deutbar sind.

Ludwigs gigantische »Einsiedelei« entstand auf geschichtsträchtigem Boden. Bis 1803 hatte hier ein mächtiges Kloster bestanden, dessen Anfänge sich bis ins frühe Mittelalter zurückverfolgen lassen. Nach der Säkularisation wechselte die Insel mehrmals den Besitzer, die Klosteranlagen blieben zum Teil erhalten und sind heute noch als sogenanntes Altes Schloss und als Schlosshotel zu bestaunen. Die bayerische Krone kaufte die Insel 1873 von einer Holzverwertungs-Gesellschaft, die gerade daran gehen wollte, den dortigen Hochwald abzuholzen. Dass der König Herrenchiemsee dann selbst für ein Großprojekt in Anspruch nahm, ist ihm von manchen verübelt worden. So auch von dem bekannten bayerischen Schriftsteller Ludwig Thoma, der süffisant weiter berichtet:

»Dem König dauerten die Bauarbeiten zu lange und es soll ihm bei Besuchen manches vorgetäuscht worden sein, was nach seiner Abreise wieder verschwand; zuweilen wurde die Zahl der Arbeiter stark verringert und am Chiemsee erzählte man sich dann mit Augenblinzeln die seltsame Mär, dass auch einem König das Kleingeld ausgehen könne.«

Tatsächlich kamen die Bauarbeiten im Jahre 1886, noch vor dem Tod des Königs, wegen Geldknappheit praktisch zum Stillstand, sodass sich das Schloss uns heute als unvollendetes Werk präsentiert: Von der geplanten fünfflügeligen Anlage à la Versailles sind nur drei Flügel ausgeführt. Der zur Zeit von Ludwigs Tod im Rohbau fertige Nordflügel ist 1907 wieder abgerissen worden.

Doch beginnen wir nun unseren Schlossrundgang im Vestibül mit der Pfauenfigur. Als Kenner der östlichen Welt wusste Ludwig, dass dieses Tier im Orient die ewige Glückseligkeit symbolisiert.

The Palace at Herrenchiemsee

The palaces and castles built by King Ludwig II of Bavaria are perhaps unique in the world. They represent neither official buildings nor summer residences in the real sense, but are the concrete result of his dreams. The Monarch architecturally "staged" subjects from history and mythology so as to be able to "relive" them either alone or in the circle of only a few intimates.
The fairy-tale king was actually an unhappy person. Having experienced that a Bavarian ruler in the second half of the nineteenth century was in fact powerless, he began to withdraw more and more from politics into his own dream world which, because of his means, he was able to build with incredible magnificence. Today we are confounded by this dream world without thinking of his personal tragedy. Herrenchiemsee is Ludwig's homage to Louis XIV of France, the so-called "Sun King" whom he so admired. Thus the Palace of Versailles served as a model which Ludwig's architects and artists copied, frequently down to the last detail.
However, construction had to be stopped in 1886 shortly before the king's death, so that we are left with an incomplete work: only three of the planned five wings, à la Versailles, were built.

Il Castello di Herrenchiemsee

I castelli di Re Ludovico II. di Baviera sono unici al mondo per il loro carattere: non sono ne edifici di rappresentanza ne residenze estive reali, ma sono i sogni diventati pietra del monarca che in tal modo è riuscito a mettere in scena architettonicamente tralci di storia e mito per riviverli da solo o in compagnia di pochissimi eletti.
Il «Re delle favole» in fondo fu un uomo infelice. Dopo aver vissuto l'effettiva impotenza di un sovrano bavarese nella seconda metà dell'Ottocento, si ritirò sempre più dalla politica per entrare nel suo mondo dei sogni – un mondo fantastico e, date le possibilità finanziarie, pomposo. Un mondo che oggi ci lascia stupefatti e che noi ammiriamo senza vederne il lato tragico del protagonista.
Herrenchiemsee è l'omaggio di Ludovico a Louis XIV. di Francia, il «Re Sole» da lui tanto venerato. Il Castello di Versailles ne fu modello e gli architetti e artigiani di Ludovico dovettero spesso copiare anche il più piccolo dettaglio.
Purtroppo nel 1886 – poco prima della morte del Re – i lavori furono sospesi e noi oggi ci troviamo dinanzi ad un opera incompleta: dell'edificio a cinque ali a tipo Versailles sono state completate soltanto tre.

Château de Herrenchiemsee

Les châteaux de Louis II de Bavière sont uniques. Ils ne tiennent ni de la représentation ni du château de plaisance bien plus ils sont les rêves devenus pierres d'un monarque qui en eux a su faire une mise en scène architecturale de sujets historiques et mythologiques qu'il désirait revivre tout seul ou au sein d'un petit cercle d'intimes.
«Le roi de contes de fées» était en fait un individu malheureux: après avoir vécu l'impuissance d'un souverain bavarois, dans la seconde moitié du XIXe siècle, il commença à fuir de plus en plus la politique et à se réfugier dans un monde de rêves – un monde qu'il put modeler à sa guise grâce aux moyens dont il disposait et devant lequel nous ne pouvons, aujourd'hui, qu'éprouver de l'étonnement, sans pour autant penser à sa tragédie personnelle. Herrenchiemsee est l'hommage de Louis II à son vénéré Louis XIV, le «Roi-Soleil». C'est pourquoi le château de Versailles servit de modèle, parfois jusque dans les plus petits détails, à l'architecte et aux artistes.
Pourtant les travaux de construction durent être interrompus en 1886, peu avant la mort du roi et c'est ainsi que nous nous trouvons devant une oeuvre inachevée. Des cinq ailes projetées, comme à Versailles, seules trois ont été exécutées.

ヘレンキムゼー城

バイエルンにあるルードヴィッヒ２世の数ある城は、その性格から恐らく世界の中でも比類ないものでしょう。それらはいわゆる「富の象徴」や離宮として建てられたわけではなく、歴史や神話からのテーマを実現しようとした王の夢が、石を介して形となったものです。王はたった一人で又は本当に信頼できる数人の近臣とその夢を体験しようとしました。
この「童話の王様」はしかしながら孤独な生涯を送りました。彼が19世紀後半にバイエルン王国の事実上の失墜を経験した後、だんだんと政治を避け、自分だけの夢の世界に逃げ込むようになったのです。彼の財力により、この夢の世界は絢爛豪華なものに仕上げられました。今日の我々はその華麗さに圧倒され、その裏に隠された王の悲劇についてなど考えにも及びません。
ヘレンキムゼー城は、太陽王と謳われたフランスのルイ14世への敬意を、ルードヴィッヒ王が形にしたものです。従ってベルサイユ宮殿が手本となり、王の建築家や芸術家は、詳細にいたるまで模倣しました。
1886年、王が亡くなる直前に建築が始められたので、現在我々が見ることができるのは、未完成の姿です。ベルサイユ宮殿に倣い５翼で計画されましたが、３翼のみが完成しています。

Vestibül: der Pfau, Symbol der ewigen Glückseligkeit
The Vestibule: the peacock, symbol of eternal bliss
Vestibule : le paon, symbole du bonheur éternel
Vestibolo: il pavone, simbolo dell'eterna felicità
入り口の間：孔雀 ― 永遠の至福の象徴

Detail vom Deckenfries im Prunktreppenhaus: Allegorie der Luft

A Detail from the ceiling frieze above the Grand Staircase: allegory of the Air

Détail de la frise du plafond dans l'Escalier d'Honneur: allégorie de l'air

Particolare del fregio del soffitto della pomposa scala: allegoria dell'Aria

豪華な階段の天井のフリーズ（古典建築の小壁、あるいは壁上方の帯状装飾）の詳細：空気のアレゴリー（抽象的なものの具体的なものへの比喩）

Die Prunktreppe

Das prachtvolle Treppenhaus ist nach dem Vorbild der Gesandtentreppe *(Escalier des Ambassadeurs)* in Versailles gestaltet, die freilich zu Ludwigs Zeiten schon längst nicht mehr existierte. Wo in Versailles die Gesandten eine Statue Louis' XIV. symbolisch zu grüßen hatten, wurde Ludwig beim Betreten des Schlosses von Apollon, dem Gott der Künste, empfangen: Beherrschend steht dessen Marmorstatue an der Stirnwand des Treppenhauses.
Diese Szenerie lässt eine verblüffende Deutung zu: Ludwig II. wollte sich selbst möglicherweise gar nicht als Hausherr des Schlosses verstanden wissen und begriff Herrenchiemsee als Reich der Künste, in das er sich gelegentlich als Gast begab. Dazu würde auch die eigentlich überraschende Feststellung passen, dass der bayerische König seine eigene Person innerhalb des Gesamtkunstwerks Herrenchiemsee ganz in den Hintergrund gestellt hat: Keines der großen Wand- und Deckengemälde, keine Statue durfte ihn darstellen – lediglich ein kleines Medaillon mit seinem Porträt auf einer Tür des Ovalsalons hat er akzeptiert.

The Grand Staircase

The magnificent staircase is modelled on the *Escalier des Ambassadeurs* at Versailles. In Versailles the ambassadors had to symbolically greet a statue of Louis XIV, whereas Ludwig, on entering his palace was received by Apollo, the god of the arts. A marble statue of Apollo dominates the end wall of the staircase. This allows for an amazing interpretation: Ludwig II did not wish to be known as the lord of the household, but rather he thought of Herrenchiemsee as the realm of the arts and of himself as an occasional guest.

L'Escalier d'Honneur

Le superbe escalier est une copie de «l'Escalier des Ambassadeurs» du château de Versailles. Là où à Versailles, les ambassadeurs devaient saluer symboliquement Louis XIV sous les traits de sa statue, Louis était – en pénétrant dans le château – reçu par Apollon, le roi des arts: sa statue en marbre domine l'escalier.
Cette scénographie permet une interprétation étrange de la personnalité de Louis II. Vraisemblablement, le roi voulait-il éviter de se mettre dans le rôle du maître du château et souhaitait-il voir en Herrenchiemsee un «Royaume des arts» dont il était parfois l'invité.

La sfarzosa scalinata

Le lussuose scale sono costruite seguendo il modello della Scala degli Ambasciatori *(Escalier des Ambassadeurs)* a Versailles. A Versailles gli ambasciatori dovettero salutare simbolicamente una statua di Louis XIV., mentre Ludovico al suo ingresso al castello si fece ricevere da Apollo, Dio delle Arti: imponente la sua statua in marmo che domina la parete frontale delle scale.
Questa messa in scena fa suporre che a Ludovico probabilmente non importava essere considerato padrone del castello. Per lui Herrenchiemsee era il «Regno delle Arti» nel quale egli si immergeva di tanto in tanto in veste di ospite.

豪華な階段

豪華な階段
豪華な階段吹き抜けは、ベルサイユ宮殿の「公使の階段」をモデルに作られました。ベルサイユ宮殿で、公使達がルイ14世の彫像に挨拶をした場所には、アポロン（芸術の神）が立っており、ルードヴィッヒ王を迎えました。この大理石の彫像は階段吹き抜けの前面の壁に立っています。
この点は次のように解釈できます。— ルードヴィッヒ２世はこの城の城主になりたかったわけではなく、この城を「芸術の王国」とし、時折客として訪問したかったのです。

Das Treppenhaus mit der Figur des Apollon (links in der Mauernische)
The staircase with the figure of Apollo in a wall niche to the left →
L'escalier avec la figure d'Apollon (à gauche dans la niche murale)
La scala con la figura di Apollo (a sinistra nella nicchia murale)
吹き抜け階段とアポロンの像（壁の窪み部分）

Der Hartschiersaal

Die Prunktreppe führt uns in die Paradezimmer, eine Folge von Räumen im Südflügel und im Zentralbau, die uns Versailles und seine Geschichte nacherleben lassen. Hier konnten Ludwig und eventuelle Besucher im Gedenken an Louis XIV. wandeln und sich an den Ruhmestaten des großen Monarchen erbauen – das war der Zweck, den der bayerische König diesen Sälen zugedacht hatte. Erst im Nordflügel des Schlosses werden wir auf seine eigentlichen Wohn- und Arbeitsräume treffen.
Als erstes betreten wir den so genannten Hartschiersaal. Er entspricht der *Salle des Gardes*, dem Saal für die königliche Leibwache, in Versailles. In Herrenchiemsee hat er natürlich nie wirklich diesem Zweck gedient.
Seine Ausstattung erinnert an die militärischen Erfolge Louis' XIV.: Die Waffen sind originalgetreue Nachbauten historischer französischer Hellebarden, die Standbilder stellen französische Marschälle dar.

The King's Guards' Chamber

The Grand Staircase leads into the State Rooms, a suite of rooms in the south wing and central building which allow us to relive Versailles and its history. The practical purpose of these large rooms in today's sense should not be subject to harsh query. Essentially they served Ludwig and any possible visitors to be inspired by Louis XIV and the great monarch's glorious deeds. The first is the so-called Halberdier or King's Guards' Room. Its furnishings recall the king's military successes: hence weapons – identical copies of the historical French halberds – as well as statues of French marshals are exhibited here.

La salle des Gardes

L'escalier d'honneur mène aux «chambres de Parade», une suite de salles dans l'aile Sud et le corps central. Ici, nous revivons Versailles et son histoire. Il ne convient pas de s'interroger sur le but pratique de ces salles. Elles devaient servir à Louis II et aux visiteurs éventuels à laisser voguer leurs pensées vers Louis XIV et ses faits glorieux édifiants. Nous entrons d'abord dans ce que l'on nomme la salle de Gardes. Sa décoration évoque les succès militaires de Louis XIV. Ainsi les armes exposées ici sont-elles des répliques des hallebardes originales françaises historiques – répliques aussi de tableaux en pied de maréchaux français.

La Sala degli Arcieri (Hartschiersaal)

La scalinata ci porta alle «stanze da parata»; una serie di vani nell'ala sud e nel edificio centrale che ci fanno rivivere Versailles e la sua storia. Sarebbe inutile chiedersi al giorno d'oggi qual'era l'uso pratico di queste sale. Dovevano servire a Ludovico e ai suoi eventuali ospiti ad immergersi nel mondo di Louis XIV. e a ricrearsi con le gloriose opere del grande monarca. La prima è la cosiddetta «Sala degli Arcieri». Il suo arredamento ricorda i tronfi militari di Louis XIV. Perciò le armi qui esposte – tutte ricostruzioni originali di storiche alabarde francesi – come anche le statue dei marescialli francesi.

近衛兵の広間

階段吹き抜けは我々を「閲兵の間」に導きます。これは南翼と中央の建物にある一続きの部屋です。ここでは、ベルサイユ宮殿とその歴史を追体験することができます。この数々の部屋がどういう意味を持っていたのか、現在の我々の感覚で問うことはできません。この場所は主にルードヴィッヒ王と客を迎え、ルイ14世の栄光とその王国の事績を思い浮かべるためにあったのです。
最初に我々は近衛兵の間と呼ばれた広間に入ります。この部屋にある、本物に忠実に模倣された歴史的なフランスの矛槍などこの部屋に飾られた数々の武器や、主馬頭の立像などの装飾は、ルイ14世の軍事上での成功を想起させます。

Büste von Marschall Condé
Bust of Marshall Condé
Buste du Maréchal de Condé
Busto del Maresciallo Condé
マーシャル・コンデの彫像

Marschall Villars
Marshall Villars
Maréchal de Villars
Il Maresciallo Villars
マーシャル・フィラー

Hartschiersaal mit französischen Hellebarden →
The King's Guards' Room with French Halberds
Salle des Gardes avec hallebardes françaises
La Sala degli Arcieri con alabarde francesi
近衛兵の間とフランスの矛槍

Das Erste Vorzimmer

Nach den Schlachtszenen und dem eher düsteren Gesamteindruck des Hartschiersaals können wir nun aufatmen: Hellere Farben und friedlichere Bildthemen stehen in deutlichem Kontrast zum Vorhergehenden. Es ist sicher kein Zufall, dass der friedliebende König Ludwig II. in Abweichung vom Vorbild Versailles nur den Hartschiersaal für die Verherrlichung kriegerischer Erfolge »geopfert« hat.
Das beherrschende Möbel in diesem Raum ist der reich verzierte Musikschrank, der im Stil Louis' XV. gefertigt ist und ursprünglich gar nicht für Herrenchiemsee bestimmt war. Leider ist er unvollendet geblieben: Die heute gelb gestrichenen freien Flächen an der Front und den Seiten sollten ursprünglich bemalt werden.

The First Antechamber

It is a relief after the battle scenes and rather sombre overall impression of the Guards' Hall to move onto the brighter colours and more peaceful subjects of these paintings that are in clear contrast to the previous ones. It is surely no coincidence that the peace-loving King Ludwig only "sacrificed" the Guards' Hall for the glorification of successes in war, here departing from his model, Versailles.

La première antichambre

Après les scènes de bataille et l'impression plutôt sinistre que laisse la salle des Gardes, nous pouvons respirer : des couleurs plus claires et des sujets de tableaux plus pacifiques contrastent très nettement avec ce que nous venons de voir. Il n'est sûrement pas dû au hasard que le roi pacifique qu'était Louis II n'ait contrairement à Versailles «sacrifié» que la salle des Gardes à la gloire des succès militaires.

La prima anticamera

Dopo le scene di battaglia e la prima impressione piuttosto opprimente, ora possiamo tirare un sospiro di sollievo. Colori più chiari e immagini più pacifiche sono in netto contrasto con la sala precedente. Certamente non è puro caso che il pacifico Re Ludovico II., contrariamente a Versailles, abbia dedicato soltanto la Sala degli Arcieri all'esaltazione di successi militari.

最初の控えの間

ここでは近衛兵の間の殺戮の場面や陰気な雰囲気の後に、ほっと一息つくことができます。明るい色彩とほのぼのとした絵画が先ほどの部屋との強烈なコントラストをなしています。平和を愛したルードヴィッヒ王がベルサイユ宮殿を手本にしていながら、戦いの成功を称えるための間として近衛兵の間だけを「捧げた」のは決して偶然ではありません。

Der prächtige Musikschrank im Ersten Vorzimmer
The splendid music cabinet in the First Antechamber
L'armoire à musique dans la première antichambre
Lo splendido armadio da musica nella prima anticamera
最初の控えの間の音楽の戸棚

Das Zweite Vorzimmer

Der Raum wird auch als »Ochsenaugensaal« bezeichnet – eine wörtliche Übersetzung des französischen *Salon de l'Œil de Bœuf*. Diesem Saal in Schloss Versailles haben die charakteristischen querovalen Fenster in der Frieszone den Namen gegeben. In Herrenchiemsee finden wir dasselbe Charakteristikum. Jedoch hat man hier den ganzen Raum gegenüber dem Vorbild deutlich vergrößert. Über den Grund kann man spekulieren: Möglicherweise wollte Ludwig II. das Zweite Vorzimmer deshalb hervorheben, weil es in Versailles als Taufraum der Prinzen diente. Und Ludwig verband sozusagen eine Taufpatenverwandtschaft mit dem französischen Königshaus: Der Taufpate seines Großvaters Ludwig I. war Louis XVI. von Frankreich gewesen.
Zentraler Ausstattungsgegenstand ist das Reiterstandbild Louis' XIV., für das ein Leibpferd Ludwigs II. Modell gestanden hat.

The Second Antechamber

This room is also known as the Bull's Eye Room *(Salon de l'Œil de Bœuf)* because of the characteristic horizontal oval window set in the frieze. It is considerably larger than the comparable room at Versailles, perhaps due to the fact that the Second Antechamber at Versailles was used for baptizing princes and Ludwig was connected as it were by a godparent relationship to the French Royal Family: the godfather of his grandfather Ludwig I was Louis XVI of France.

La seconde antichambre

Cette pièce est nommée aussi le *«salon de l'Œil de Bœuf»*. Son nom vient de la fenêtre ovale percée dans la frise. Elle est toutefois bien plus grande que la pièce versaillaise correspondante. Peut-être parce que la seconde antichambre de Versailles servait au baptême des princes. Une espèce de «parenté baptismale» existait d'ailleurs entre Louis et la maison royale française: Louis XVI était le parrain de son grand-père Louis Ier.

La seconda anticamera

Questa sala viene anche chiamata la «Sala degli occhi di bue» *(Salon des l'Œil de Bœuf)*. Questo nome deriva dalle caratteristiche finestre trasversali ovali nella zona del fregio. Rispetto alla corrispettiva stanza a Versailles questa è di dimensioni decisamente più ampie; probabilmente perché la seconda anticamera a Versailles veniva usata come stanza di battesimo per i principi. E Ludovico era, per cosi dire, legato da una «parentela battesimale» con la casa reale francese: Louis XVI. di Francia fu padrino di suo nonno Ludovico I.

2番目の控えの間

この間は「牡牛の目の間」と呼ばれています。フリーズにある独特な横長楕円の窓の為にこの名前がついています。ベルサイユ宮殿でこの間に当たる部屋に見られるものより明らかに大きくなっています。恐らく、ベルサイユ宮殿では2番目の控えの間は王子の洗礼の間として使用されていたからでしょう。これによりルードヴィッヒ王はベルサイユ宮殿と「洗礼の際の代父関係」を結んだのです。実際、王の祖父であるルードヴィッヒ1世の洗礼の代父はフランスのルイ16世でした。

Reiterstatue Louis' XIV.
Statue of Louis XIV on horseback
Statue équestre de Louis XIV
Statua equestre di Louis XIV.
ルイ14世の騎馬像

Das Zweite Vorzimmer
The Second Antechamber
La seconde antichambre →
La seconda anticamera
2番目の控えの間

Namensgeber für den »Ochsenaugensaal«: die querovalen Fenster – hier im Spiegelbild
Mirror image of the horizontal oval window which gave its name to the Bull's Eye Room
Fenêtre ovale qui a donné son nom au «Salon de l'Oeil de Boeuf» ici en image inverse
Danno il nome alla «Sala degli occhi di bue»: le finestre ovali trasversali – viste allo specchio
「牡牛の目の間」の名前の由来となる横長楕円の窓 ― ここでは鏡に映った姿

Das Paradeschlafzimmer

Nun betreten wir das Herzstück von Schloss Herrenchiemsee. Der Raum in der Mitte des Zentralbaues war 1883 als erster Raum der gesamten Anlage völlig fertig gestellt.
Als Schlafraum war das Paradeschlafzimmer allerdings nicht gedacht: Wir haben hier wiederum lediglich ein unerhört prunkvolles und aufwendiges »Erinnerungsstück« an Louis XIV. vor uns. Der »Sonnenkönig« pflegte nämlich die jeweils erste und letzte Audienz eines Tages im Bett liegend zu geben, in einem exakt nach Osten ausgerichteten Zimmer, in dem der Herrscher symbolisch die Morgensonne begrüßen konnte. Die Herrenchiemseer Nachbildung dieser Räumlichkeit ist genauso exakt geostet, versucht aber offensichtlich die aufwendige Ausstattung des französischen Vorbilds noch zu übertreffen.
Die beherrschende Farbe im Paradeschlafzimmer ist Rot, das im ganzen Schloss konsequent als Symbolfarbe für den »Sonnenkönig« eingesetzt ist.

The State Bedchamber

Here too is yet another incredibly magnificent and lavish reminder of Louis XIV. This was never meant to be a real bedroom.
The Sun King used to give his first and last audiences of the day whilst lying in bed in a room exactly pointed to the east and from which the ruler could symbolically greet the rising sun. The Herrenchiemsee replica of this room is also exactly facing east but obviously tries to surpass the French one in extravagance of furnishings.
Red is the dominating colour in the State Bedchamber and is used throughout the Palace as the colour symbolizing the Sun King.

La chambre de Parade

Ici nous n'avons qu'un «rappel» incroyablement somptueux et coûteux à Louis XIV. Cette chambre n'a d'ailleurs jamais été conçue pour servir de chambre à coucher.
Le «Roi-Soleil» avait en effet coutume de donner la première et la dernière audience de la journée au lit, dans une pièce très exactement orientée vers l'Est, d'où le souverain pouvait saluer symboliquement le lever du soleil. La réplique de Herrenchiemsee est exactement axée vers l'Est mais semble vouloir surpasser le luxe de la décoration du modèle français.
La couleur dominant de cette chambre de parade est le rouge, Employé systématiquement dans le château entier comme couleur symbole du «Roi-Soleil».

La camera da letto da parata

Anche in questo caso non si tratta che di un «pezzo commemorativo» assolutamente di lusso di Louis XIV. Questa stanza non è stata ideata come camera da letto vera e propria.
Il «Re Sole» usava concedere la prima e l'ultima udienza della giornata sdraiato a letto in una stanza orientata esattamente verso oriente, dalla quale il sovrano poteva salutare simbolicamente il sole sorgente. La riproduzione di questa stanza a Herrenchiemsee è anch'essa orientata esattamente verso oriente evidentemente però cercando di superare il modello francese in sfarzo e arredamento.
Il colore dominante nella camera da letto da parata è il rosso, che in tutto il castello è simbolo per il «Re Sole».

閲兵の寝室

この部屋も他の部屋と同様、他に例を見ないほど絢爛豪華な作りで、ルイ14世を想起させるものに他ありません。実際に寝室として使用されるように設計されたわけではないのです。「太陽王」が唯一この部屋の利用者として想定されたので、正確に東向きに設計され、王がこの部屋で象徴的な日の出を迎えることができるようになっています。ヘレンキムゼー城では、間の取り方においてはオリジナルと同様正確に東向きに設計されていますが、調度品の贅沢さという点においては明らかにオリジナルを超えようとしています。
閲兵の寝室の間を支配しているのは赤色です。この赤という色は太陽王を象徴的に表す色として、城全体に徹底して取り入れられています。

Gesamtansicht des Paradeschlafzimmers
View of the State Bedchamber →
Vue générale de la chambre de Parade
Veduta intera della camera da letto da parata
閲兵の間の全体像

Paradeschlafzimmer: Detail von einem Leuchter

State Bedchamber: detail of candelabrum

Chambre à coucher de Parade : détail d'un lustre

Camera da letto da parata: particolare di un lampadario

閲兵の寝室：燭台の詳細

Liebesszene: Darstellung des Mythos von Amor und Psyche

Love scene depicting the myth of Amor and Psyche

Scène d'amour: le mythe d'Amour et de Psyché

Scena d'amore: Rappresentazione del mito di Cupide e Psiche

愛の場面：アモル（ロ神：恋愛の神）とプシュケ（ギ神：魂を擬人化した美しい王女）の神話を表したもの

Gold, wohin man schaut: Details vom Paradeschlafzimmer

Details of the State Bedchamber: gold everywhere

Et où que se porte le regard : de l'or. Détails de la chambre de Parade

Oro dappertutto: particolari della camera da letta da parata

辺り一面金ばかり：閲兵の間の詳細

Prunk bis ins Detail: Stuhllehne mit vergoldeter Figur

Splendour to the last detail: a chair back-rest with gilded figure

Faste jusque dans les détails : dossier de chaise avec personnage doré

Lusso fino al minimo dettaglio: schienale con statuina dorata

詳細にいたるまで豪華：金めっきの彫像のついた椅子の背もたれ

Der Beratungssaal

In diesem Raum nimmt das große Gemälde Louis' XIV. (Seite 33) einen beherrschenden Platz ein. Es ist wie ein Altarbild von zwei Kerzenleuchtern flankiert – ein Effekt, auf den Ludwig II. größten Wert legte. Eigens damit dieses Bild nach den Wünschen des Königs platziert werden konnte, musste ein ursprünglich an dieser Stelle vorgesehener Kamin verlegt werden; nach dieser Veränderung war der Raum nicht mehr heizbar – ein Indiz dafür, dass wir uns auch hier in einem »Paradezimmer« und nicht in einem echten Arbeitsraum befinden.

The Conference Room

The large portrait of Louis XIV (on page 33) occupies a prominent place in this room. It is flanked on either side by candlesticks like an altar picture, an effect which Ludwig II considered very important. In order to fulfill the king's wishes as to where the painting should hang, a fireplace had to be moved from its originally planned position. After this alteration the room was no longer heatable, an indication that it was also intended to be a state room and not an actual work room.

La salle du Conseil

Dans cette salle, le grand portrait de Louis XIV (p.33) occupe une place dominante. Flanqué de deux candélabres, il ressemble à un tableau d'autel – un effet qui tenait très au coeur de Louis II. Pour pouvoir placer ce tableau selon les désirs du roi, il fallut déplacer une cheminée qui avait été prévue à cet endroit. Après cette modification, la pièce devint inchauffable ce qui plaide plutôt pour une «chambre de parade» et non un cabinet de travail.

La Sala del Consiglio

In questa stanza il grande ritratto di Louis XIV. (pag.33) occupa un posto maestoso. Come un'ancona è fiancheggiato da due candelabri – un effetto al quale Ludovico II. teneva molto. Per poter posizionare il quadro al posto desiderato dal Re, si dovette addirittura spostare un caminetto previsto dagli architetti; dopo questo cambiamento non era più possibile riscaldare la stanza – segno che anche in questo caso si trattava di una «stanza da parata» e non di uno studio vero e proprio.

審議の間

この部屋の中央には、ルイ14世の大きな肖像画（33ページ）が飾られています。まるで祭壇画のように、2つの燭台がこの絵を挟むように両側に立っていて、ルードヴィッヒ王が価値を置いていた効果を生み出しています。この絵を王のたっての希望によりここに移動するため、元々この場所にあった暖炉をよそに移したので、この改築工事後この部屋の暖房設備はなくなりました。これは、この閲兵の間も実際に使用される為の間ではないということを表しています。

Götterversammlung: Kaminaufsatz mit Ceres, Bacchus und Venus auf dem Himmelsglobus

Meeting of the gods: mantlepiece statuette of Ceres, Bacchus and Venus on the celestial globe

Les dieux se réunissent : linteau de cheminée avec Cérès, Bacchus et Vénus sur une mappemonde céleste

Incontro degli Dei: caminiera con Cerere, Bacco e Venere sul mappamondo celeste

神々の集会： 天球儀の上に乗ったケレス（ロ神：農耕の女神)、バッカス、ビーナスを表した暖炉飾り

Beratungssaal: Uhr mit Büste Louis' XIV.

Conference Room: clock with bust of Louis XIV

Salle du Conseil: pendule avec buste de Louis XIV

Sala del Consiglio: orologio con busto di Louis XIV.

審議の間：ルイ14世の彫像のついた時計

Ehrenplatz für den Sonnenkönig: Schreibtisch im Beratungssaal und Gemälde Louis' XIV.
Place of honour for the Sun King: desk in the Conference Room and portrait of Louis XIV
Place d'honneur pour le Roi-Soleil : bureau dans la salle du Conseil et portrait de Louis XIV
Posto d'onore per il Re Sole: scrivania nella Sala del Consiglio e ritratto di Louis XIV.
太陽王の為の主賓席：審議の間の書斎机とルイ14世の絵

Die Spiegelgalerie

Der Gestaltung dieses wohl prächtigsten Raumes von Herrenchiemsee gingen umfangreiche Studien der Verantwortlichen in Versailles voraus. Ludwig bestand auf einer vorbildgetreuen Rekonstruktion bis hin zu den Deckengemälden. Aber auch diese scheinbar so exakte Kopie des französischen Vorbilds weist einige bezeichnende Abweichungen auf, die die Handschrift Ludwigs oder seiner Künstler verraten: Beispielsweise ist die an einigen Stellen angewandte Technik, Gemälde in Stuckplastik übergehen zu lassen, eine Spezialität des bayerischen Barock, die man in Versailles natürlich nirgends findet.

44 Kandelaber und 33 Lüster können den Raum nachts in eine wahre Märchenwelt verwandeln – ein Effekt, auf den Ludwig besonderen Wert legte. Lange haben in diesem Saal regelmäßig Veranstaltungen bei Kerzenschein stattgefunden. Heute leistet man sich diesen Luxus nicht mehr, weil der Ruß der vielen tausend Kerzen an Einrichtung und Gemälden auf die Dauer sichtbare Schäden anrichten würde.

The Hall of Mirrors

The creation of this perhaps most splendid room at Herrenchiemsee was preceded by extensive studies of Versailles by those responsible. Ludwig insisted on an accurate reconstruction including the ceiling paintings. However, even such an apparently exact copy of the French original shows some marked differences which reveal Ludwig's or his artists' hand. For instance, the practice of merging paintings into stucco sculptures – a characteristic of Bavarian Baroque – is nowhere to be found in Versailles.

La galerie des Glaces

La décoration de cette galerie, la salle la plus somptueuse de Herrenchiemsee repose sur une étude très approfondie du modèle versaillais. Louis exigea une reconstruction minutieuse, jusqu'aux peintures du plafond. Et pourtant cette copie si exacte qu'elle puisse sembler présente certaines digressions qui trahissent la signature de Louis ou de ses artistes. C'est ainsi que l'usage du stuc avec sculptures, transition de certaines peintures – une spécialité du baroque bavarois – ne se trouve nulle part à Versailles.

La Galleria degli Specchi

La realizzazione di questa sala, certamente la più splendida di Herrenchiemsee, era preceduta da ampi studi al Castello di Versailles da parte degli responsabili. Ludovico insisteva in una identica ricostruzione che comprendeva anche i dipinti del soffitto. Ma anche questa copia del modello francese, apparentemente cosi perfetta, lascia intravedere la firma di Ludovico o meglio dei suoi artisti: Per esempio la tecnica di passare in certi punti dall'affresco alla stuccatura – una specialità del barocco bavarese – non si trova a Versailles.

鏡の間

ヘレンキムゼー城の数々の部屋に見られる豪華な様式には、広範囲にわたってベルサイユ宮殿を研究したあとがうかがえます。ルードヴィッヒ王は天井画にいたるまでオリジナルを忠実に再現させています。しかしこの一見忠実な模倣も、数箇所明らかな違いを示しています。ルードヴィッヒ王や彼の芸術家の手書文がそれを証明しています。例えば壁に描かれた絵と漆喰の彫刻が一体になっている点など、バイエルン独特のバロック様式であって、ベルサイユ宮殿には全く見られなかったものです。

Eine Tradition des bayerischen Barock: Übergang von Gemälde in Stuckplastik
A tradition of Bavarian Baroque: painting merging into stucco sculpture
Une tradition du baroque bavarois: la peinture se poursuit en stuc sculpté
Una tradizione del barocco bavarese: passaggio dal dipinto al rilievo in stucco
バイエルン風バロック様式の伝統：一体となった壁の絵と漆喰の彫刻

Eine Zauberwelt: die Spiegelgalerie →
A magic world: the Hall of Mirrors
Un monde merveilleux: la galerie des Glaces
Un mondo fantastico: la Galleria degli Specchi
おとぎ話の世界：鏡の間

Friedenssaal und Kriegssaal

An die Schmalseiten des Spiegelsaales schließen sich der Friedenssaal und der Kriegssaal an, zugänglich durch Portale, die wie Triumphbögen gestaltet sind. Flankiert werden die Portale von mächtigen Marmorsäulen, die seinerzeit in einem Stück gefertigt, angeliefert und aufgestellt wurden – in der damaligen Zeit eine haarige Aufgabe für alle Beteiligten!
Der Kriegssaal wird beherrscht von einem Stuckrelief, das Louis XIV. zu Pferde zeigt. Programmatisch ist das Deckengemälde, das im Zentrum die Kriegsgöttin Bellona mit dem Bildnis Louis' XIV. zeigt. Drum herum die Darstellungen: »Die Kriegsgöttin besiegt die Niederlande«, »Deutschland verteidigt die Kaiserkrone« und »Das ohnmächtige Spanien«.
Im Übrigen zeigt die Ausstattung, dass der Kriegssaal als nahtlose Fortsetzung zur Spiegelgalerie zu verstehen ist. Die Reihe der Büsten römischer Kaiser setzt sich beispielsweise vom Friedenssaal über die Spiegelgalerie in den Kriegssaal fort. Dabei kam Marc Aurel im Kriegssaal zu stehen – vielleicht nicht ganz unpassend, da ja auch der Philosophenkaiser eine ganze Reihe von Kriegen geführt hat …

The "Peace" and "War" Halls

The side aisles of the Hall of Mirrors are connected to the Hall of Peace and the Hall of War which are accessible through portals shaped like triumphal arches. The portals are flanked by massive marble columns which were hewn, delivered and erected in one piece: an amazing feat for the contractors at that time.
The Hall of War is dominated by a stucco relief that depicts Louis XIV on horseback. The painted ceiling is thematic: its centre shows the war goddess Bellona bearing a likeness to Louis XIV surrounded by the following motifs: "The Goddess of War conquers The Netherlands", "Germany defends the Imperial Crown" and "Powerless Spain".

«Salle de la Paix» et «Salle de la Guerre»

Sur le côté étroit de la galerie des Glaces s'ouvrent la «salle de la Paix» et la «salle de la Guerre». Elles sont accessibles par des portails décorés comme des arcs de triomphe et flanqués d'imposantes colonnes de marbre exécutées, livrées et dressées d'un seul morceau. Un défi aux exécutants!
La salle de la Guerre est dominée par un relief en stuc, représentant Louis XIV à cheval. Le centre de la décoration du plafond représente la déesse Bellone avec un portrait de Louis XIV.

«Sala della Pace» e «Sala della Guerra»

Alle due estremità della Galleria degli Specchi, attraversando dei portali che assomigliano ad archi di trionfo, si arriva alla «Sala della Pace» e alla «Sala della Guerra». Questi portali sono fiancheggiati da imponenti colonne di marmo che allora vennero scolpite, trasportate e collocate tutte d'un pezzo. Certo che gli impresari incaricati furono sottoposti a dura prova!
La «Sala della Guerra» è dominata da uno stucco in rilievo che rappresenta Louis XIV. a cavallo. Programmatico il dipinto del soffitto che mostra al centro Bellona, Dea della Guerra, con il ritratto di Louis XIV. Intorno i motivi: «La Dea della Guerra vince l'Olanda», «La Germania difende la corona imperiale» e «La Spagna impotente».

「平和の間」「戦の間」

鏡の間の両端には「平和の間」、「戦の間」があります。あたかも凱旋門のような表玄関を通って出入りできます。表玄関の両側には太い大理石の柱が立っていますが、王の時代には一つの大理石塊から作られ、ここに運ばれたものです。— 請け負い業者は相当な苦労を強いられたようです
戦の間では、馬を指差すルイ14世を表す漆喰の浮き彫りが支配しています。天井画の中央に、意図的に戦の女神ベロナがルイ14世の肖像画と共に描かれいます。その周りには「戦いの女神がオランダに勝利した」場面、「ドイツが皇帝の冠を守った」場面、「気を失ったスペイン」の場面などが描かれています。

Das Deckengemälde des Kriegssaales
The ceiling fresco of the Hall of War
Peinture du plafond de la «Salle de la Guerre»
Il dipinto del soffitto della «Sala della Guerra»
「戦の間」の天井画

Kriegssaal mit Stuckrelief Louis' XIV.
Hall of War with stucco relief of Louis XIV
Salle de la Guerre avec Louis XIV sur un relief en stuc
Sala della Guerra con rilievo in stucco di Louis XIV
戦いの間とルイ14世の漆喰のレリーフ

→

Kriegssaal: Büste des römischen Kaisers Marc Aurel
Hall of War: Bust of Roman Emperor Marcus Aurelius
Salle de la Guerre : Buste de l'Empereur romain Marc Aurèle
Sala della Guerra: busto dell'Imperatore romano Marco Aurelio
戦いの間：ローマ帝王マルク・アウレル

Der große und der kleine Louis: Reiterstatuette Louis' XV. vor dem monumentalen Stuckrelief Louis' XIV.
The large and the small Louis: equestrian statue of Louis XV in front of the monumental stucco relief of Louis XIV
Le grand et le petit Louis : statuette équestre de Louis XV devant le monumental relief en stuc représentant Louis XIV
Louis in grande e in piccolo: statuetta equestre di Louis XV. davanti al rilievo monumentale in stucco di Louis XIV.
二人のルイ：ルイ14世の漆喰レリーフとその前にあるルイ15世の騎馬像

Das Privatschlafzimmer des Königs

Wir betreten nun den Nordflügel des Schlosses und damit die Wohnräume des Königs – also die Räume, die tatsächlich für eine praktische Nutzung vorgesehen und nicht nur »Schauräume« waren. Ludwig hat sich allerdings nur einmal – im September 1885 – kurzzeitig dort aufgehalten.
Bei der Gestaltung dieses Trakts löst sich Ludwig von der Zeit Louis' XIV. und teilweise auch vom Vorbild Versailles. Die Ausstattung sollte »im Stil Louis' XV.« gehalten werden, also in einem nachgeahmten Rokoko-Stil.
Das Privatschlafzimmer des Königs wird auch als das »blaue Schlafzimmer« bezeichnet. Ludwig II. hat in Herrenchiemsee seine Lieblingsfarbe symbolisch für seine eigene Person eingesetzt – im Kontrast zum Rot des »Sonnenkönigs«. Nachts vermittelten nicht nur der Bettbaldachin, die Vorhänge und Bespannungen den Eindruck eines »blauen Zimmers«: Die blaue Kugellampe vor dem königlichen Bett tauchte dann den ganzen Raum in ein geheimnisvolles Licht.

The Kings' Private Bedchamber

The King's personal appartments are located in the north wing of the Palace. These rooms were intended for use and not merely as "showrooms". In fact Ludwig only ever stayed there once for short time in September 1885.
When designing this wing, Ludwig broke away from the Louis XIV period and partially also from the Versailles model. The decor was to be in the style of the Louis XV period, that is, an imitation of the Rococo.
The King's private bedchamber is also called the blue bedchamber. Ludwig II employed his favourite colour blue to symbolize himself in contrast to the red of the Sun King.

La chambre à coucher du roi

Nous entrons dans l'aile gauche du château et ainsi dans les appartements du roi, les pièces qu'il voulait véritablement habiter et non pas montrer. Louis n'a cependant séjourné au château qu'une fois brièvement, en septembre 1885.
Dans la décoration de cette partie, Louis II s'éloigne de Louis XIV et légèrement de son modèle versaillais. Le style Louis XV est ici préconisé, un style inspiré du rococo.
La chambre à coucher du roi est appelée également la «chambre bleue». Louis II a fait usage de sa couleur favorite, le bleu, symbolique pour sa propre personne – en opposition avec le rouge du «Roi-Soleil».

La camera da letto privata del Re

Entriamo ora nell'ala nord del Castello e dunque nelle stanze private del Re – le stanze «d'abitazione» e non solo «da mostra», anche se Ludovico si è intrattenuto al Castello una volta soltanto e per poco tempo, nel settembre del 1885.
Nell' ideazione di questo tratto Ludovico si stacca dall'epoca di Louis XIV. e in parte anche dal modello di Versailles. L'arredamento doveva essere in «stile Louis XV.», cioè in uno stile di imitazione rococò.
La stanza da letto privata del Re viene chiamata anche «La camera da letto blu». Ludovico II. ha utilizzato a Herrenchiemsee il blu, suo colore preferito, per rappresentare se stesso e contrastare il colore rosso del «Re Sole».

王の個寝室

我々は今、北翼に足を踏み入れます。ここは、実際に使用する目的で設計された王の部屋であり、単なる「ショールーム」ではありません。ルードヴィッヒ王は一度だけ1885年9月に、短い期間ですがここに滞在しました。この北翼の様式においては、ルードヴィッヒ王はルイ14世時代からも、部分的にはベルサイユ宮殿からも解放されています。調度品は「ルイ15世様式」でロココ風です。ルードヴィッヒ王の個寝室は「青の寝室」とも呼ばれています。ルードヴィッヒ2世はヘレンキムゼー城において彼の好みの色を象徴的に使いわけています。彼自身の色である「青」は「太陽王」の赤に対照させています。

Das Himmelbett Ludwigs II. mit der blauen Kugellampe
Ludwig's four-poster bed and blue globe lamp
Le lit à baldaquin de Louis II avec la lampe ronde bleue
Il letto a baldacchino di Ludovico II. con la lampada a sfera blu
ルードヴィッヒ王の天蓋付き寝台と青い球状のランプ

Kaminuhr mit Darstellung »Athene weist Louis XVI. den Weg zur Wahrheit und Gerechtigkeit«

Mantlepiece clock depicting Athene showing Louis XVI the way to Truth and Justice

Pendule de cheminée représentation d'«Athéna indiquant à Louis XVI la voie de la vérité et de la justice»

Orologio da caminetto con la rappresentazione di «Atene insegna a Louis XVI. la via della verità e della giustizia»

暖炉の時計と「ルイ16世に真実と平等への道を指し示すアテナ（ギ神：知恵・学芸・戦争の女神）」

Waschtisch im königlichen Schlafzimmer
Wash stand in the Royal Bedchamber
Table de toilette dans la chambre à coucher royale
Lavabo nella camera da letto reale
ルードヴィッヒ王の寝室にある洗面台

Das Bett, verziert mit vergoldeter Schnitzerei
The bed decorated with gilded carvings
Le lit, décoré de sculptures dorées
Il letto ornato da intagli dorati
金メッキの木彫の飾りのついた寝台

Das Arbeitszimmer

Dieser Raum steht ganz im Zeichen Louis' XV. von Frankreich, dessen Bild die Wand über dem Schreibtisch ziert. Das Möbel selbst ist eine Kopie des berühmten, 1760 bis 1769 von François Oeben und Jean Henri Riesener für Louis XV. gefertigten Schreibtisches. Der befand sich im 19. Jahrhundert keineswegs mehr im Originalzustand: Während der französischen Revolution hatte man die Königsinsignien entfernt. Es versteht sich, dass der bayerische Monarch größten Wert auf eine originalgetreue Rekonstruktion des Ursprungszustandes legte …

The Study

This room is dedicated to Louis XV of France whose portrait adorns the wall behind the desk. This piece of furniture is a copy of the famous one made for Louis by François Oeben and Jean Henri Riesener from 1760 to 1769. By the nineteenth century it was no longer in its original state as the King's insignia had been removed during the French Revolution. It goes without saying that the Bavarian Monarch set great store by having an authentic replica of the initial design.

Le cabinet de travail

Cette pièce est placée entièrement sous le signe de Louis XV dont le portrait orne le mur au-dessus du bureau. Le meuble lui-même est une copie du bureau célèbre exécutée pour Louis XV entre 1760 et 1769 par François Oeben et Jean Henri Riesener. Au XIXe siècle, il n'était plus en très bon état; pendant la révolution on en avait ôté les insignes royaux. Bien entendu, le monarque bavarois exigea une reconstruction de l'état premier.

Lo studio

Questa stanza è completamente all'insegna di Louis XV. di Francia, il cui ritratto orna la parete dietro la scrivania. Il mobile stesso è una copia della famosa scrivania di Louis XV., opera di François Oeben e Jean Henri Riesener datata tra il 1760 e il 1769. Detta scrivania nel '800 non era però più allo stato originale: durante la Rivoluzione Francese erano state cancellate le insigne reali. Inutile dire che il monarca bavarese insistette su una copia perfetta della scrivania allo stato originale ...

書斎

この部屋の書斎机の上には、フランス ルイ15世の絵がかけてあり、その影響が色濃くうかがえます。机そのものは、ルイ15世が1760年から1769年にかけてフランソワ・オーベン、ジャン・アンリ・リーゼナーに作らせた有名な書斎机の模造です。フランス革命の際に、王室の権力を象徴するものは全て排除されてしまったので、19世紀にはオリジナルの机は見る影もなかったはずです。このことは、バイエルン王国が細部にいたるまでオリジナルに忠実に模倣することに価値を置いていたことを示します。

Arbeitszimmer: astronomische Uhr
The astronomical clock in the Study
Cabinet de travail: pendule astronomique
Studio: orologio astronomico
執務室：天文時計

Arbeitszimmer mit der Kopie des Schreibtisches von Louis XV. und Gemälde des französischen Königs
Study with replica of Louis XV desk and portrait of the French king
Cabinet de travail avec copie du bureau de Louis XV et tableau du roi de France →
Studio con la copia della scrivania di Louis XV. e il ritratto del Re francese
ルイ15世の持ち物の模造である書斎机と彼の肖像画

Das Speisezimmer

»Dinner for One« für den König: Nach Berichten seines Mundkochs Theodor Hierneis speiste Ludwig II. am liebsten allein, ließ aber stets für vier Personen decken und führte während des Essens angeregte Gespräche mit einer imaginären Tischgesellschaft aus längst verstorbenen Persönlichkeiten vom französischen Königshof.
Für solche königlichen Eigenheiten (falls man denn Hierneis Glauben schenken kann) schuf das Speisezimmer von Herrenchiemsee mit seinem »Tischlein-deck-dich« die idealen Voraussetzungen. Bereits in Linderhof war eine solche Apparatur eingebaut worden: Ein Lift verband den Raum mit der darunter liegenden Küche; von dort aus konnte man den fertig gedeckten Tisch einfach nach droben zum König schweben lassen, ohne dass ein Bediensteter den Raum betreten musste.

The Dining Room

According to accounts by his personal cook, Theodor Hierneis, Ludwig II preferred dining alone but always had the table set for four and conducted lively conversations with the imaginary company of long deceased persons at the French royal court.
If one can give credence to Hierneis, the Dining Room at Chiemsee with its "Tischlein-deck-dich" (a table which sets itself) created ideal conditions for such royal peculiarities. A lift connected the room with the kitchen beneath from which the fully set table could be transported up to the King without a servant having to enter the room.

La salle à manger

Selon son cuisinier personnel, Louis II préférait manger seul mais faisait mettre le couvert pour quatre personnes et menait pendant ses repas des conversations animées avec des convives imaginaires, souvent personnages de la cour de France décédés depuis longtemps.
En raison de ces singularités royales (si l'on doit en croire Hierneis), la salle-à-manger avec sa «table couvre-toi» présentait-elle les meilleures conditions. Un monte-charge la reliait à la cuisine en sous-sol d'où montait tout simplement la table dressée, sans qu'un serviteur ait besoin d'intervenir.

La sala da pranzo

A quanto alle parole di Theodor Hierneis, suo cuoco personale, Ludovico II. preferiva pranzare da solo, fece però sempre apparecchiare per quattro persone e durante il pranzo conduceva vivacissimi discorsi con commensali immaginari tutti appartenenti alla corte francese e defunti molto tempo prima.
Per tali stramberie reali (sempre se si può prestare fiducia al Hierneis) la sala da pranzo di Herrenchiemsee con il suo marchingegno offriva ottime premesse. Un ascensore collegava la sala da pranzo con la cucina al piano inferiore, da dove era possibile elevare la tavola imbandita nella sala da pranzo reale senza che alcun servitore dovesse entrarci.

食堂

ルードヴィッヒ王のお抱え料理人であるテオドア・ヒアナイスによると、王はできるだけ一人で食事をしたがったようです。しかし彼はいつも食卓に4人分の席を用意させ、すでに他界しているフランス王国の王侯と、食事をしながらの空想のお話を楽しんでいたようです。
このような王の気難しさのため（ヒアナイスの話を信用すればですが）、ヘレンキムゼー城の食堂はその「自動的に用意された食卓」により、理想的な食堂だったと言えます。この食堂とその下にある台所をつなぐリフトで、下ですでに準備された食卓を、王の居る食堂まで押し上げることにより、給仕が食堂に入ることなく王が一人で静かに食事を楽しめるようになっていました。

Das königliche Speisezimmer mit dem »Tischlein-deck-dich«

The Royal Dining Room with the "Tischlein-deck-dich" (table that sets itself)

La salle à manger royale avec la «table couvre-toi»

La sala da pranzo reale con il suo marchingegno

ルードヴィッヒ王の食堂と「自動的に用意された食卓」

Der Kronleuchter des Speisezimmers
"High-Light": the chandelier in the Dining Room
«High-Light»: le lustre de la salle à manger
«High-Light»: il lampadario della sala da pranzo
「ハイライト」：食堂のシャンデリア

Der Ovalsalon

Dieser Raum wird aufgrund seiner Ausstattung auch als »Porzellankabinett« bezeichnet. Nicht nur Details der Einrichtung bestehen mit Vorliebe aus dem wertvollen, zerbrechlichen Material. Sogar die Türfüllungen sind bemalte Porzellanplatten.
Für das Deckengemälde – nicht auf Porzellan – wurde zumindest ein passendes Motiv gewählt: Malerei und Bildhauerei, als weibliche Figuren dargestellt, sind bei der Arbeit. Was aber die eine der beiden gerade anfertigt, ist bei genauem Hinsehen als Porzellanmalerei erkennbar: Die Reflexe machen den feinen Unterschied!
Unser Schlossrundgang endet schließlich mit der »kleinen Galerie«, sozusagen einer privateren, überschaubareren Ausgabe der Spiegelgalerie.

The Oval Salon

This room is also known as the Porcelain Gallery because of its decor. Not only are the furnishing details mostly made of the valuable fragile material but even the door panels are of painted porcelain.
Although not painted on porcelain, the ceiling frescoes illustrate an appropriate motif: Painting and Sculpture are personified as female figures at work. A closer look reveals that "Painting" is in fact working on something recognizable as porcelain painting: the senses make a fine difference!
The tour of the palace ends finally with the Small Gallery, a smaller counterpart of the Hall of Mirrors.

Le salon ovale

Sa décoration le fit nommer aussi «cabinet des Porcelaines». Les détails ne sont pas seulement faits de préférence en cette matière précieuse et fragile mais les portes sont décorées aussi de plaques de porcelaine.
La peinture du plafond n'est pas en porcelaine – mais ses motifs l'évoquent puisqu'ici la Peinture et la Sculpture sont à l'oeuvre sous les traits de figures féminines et si l'on regarde bien, ce que la Peinture exécute n'est pas moins qu'une peinture sur porcelaine. Les reflets donnent la fine nuance!
Notre tour du château se termine sur la «petite galerie», la petite soeur de la galerie des glaces.

Il Salone ovale

Questa stanza per il suo arredamento viene chiamata anche «Gabinetto di porcellana». Non solo i particolari sono di questo prezioso e fragile materiale. Addirittura i pannelli delle porte sono piastre dipinte di porcellana.
Per la pittura sul soffitto – non su porcellana – fu scelto un motivo adatto: Pittura e Scultura, rappresentate da figure femminili, al lavoro. L'osservatore attento pero scopre che la «Pittura» sta dipingendo su porcellana: I riflessi svelano questo particolare!
La nostra visita al Castello si conclude con la «Piccola Galleria», la sorella minore della Galleria degli Specchi.

楕円形の客間

この部屋はその調度品から「磁器の小部屋」とも呼ばれています。価値の高い、繊 細な素材をより集めた調度品のみではなく、扉の鏡板にいたるまで絵付けの磁器です。
天井画にも（これは磁器ではありませんが）部屋にある他の磁器に合うようなモチ ーフを選んでいます。：この天井画には作業中の女性の画家と彫刻家が描かれています。微妙な光の反射の様子から、「画家」が磁器に絵付けをしていることがわかります。
城見学は「小さい鏡の間」で終わりとなります。これは小型の鏡の間です。

Deckengemälde des Ovalsalons mit Allegorien der Bildhauerei und Malerei

The Oval Salon's ceiling frescoes with allegories of Sculpture and Painting

Peinture du plafond du salon ovale avec des allégories de la sculpture et de la peinture

Dipinto del soffitto nel salone ovale con allegorie della «Scultura» e della «Pittura»

楕円形の客間の天井画と彫刻家、絵画家のアレゴリー

Die kleine Spiegelgalerie

The Small Hall of Mirrors

La petite galerie des Glaces ➝

La piccola galleria degli specchi

小さい鏡の間

Porzellanmalerei am Schreibtisch
Porcelain painting on desk
Bureau avec peinture sur porcelaine
Dipinto su porcellana sulla scrivania
書斎机の磁器絵

Detail von einer Konsole
Details of a console
Détail d'une console
Particolare di una console
張り出し台の詳細

Allegorie des Herbstes, Porzellanmalerei auf einer Türfüllung
Allegory of Autumn, Porcelain painting on door panel
Allégorie de l'automne, peinture sur porcelaine sur un panneau de porte
Allegoria dell'autunno, pittura su porcellana di un pannello della porta
秋のアレゴリー、扉の鏡板の磁器絵

Das König-Ludwig-Museum

Wer nach dem Schlossrundgang mehr über den Märchenkönig erfahren möchte, wird im König-Ludwig-II.-Museum im Erdgeschoß fündig. Modelle seiner anderen ausgeführten und geplanten Bauten, Geschirr und andere Accessoires für den eigenen Gebrauch sowie Ausstattungsdetails für seine Schlösser, bis hin zu vollständigen Zimmereinrichtungen, zeigen den Monarchen als einen fleißigen Auftraggeber des bayerischen Kunsthandwerks und als vielseitig interessierten Mann mit ausgeprägtem Gestaltungswillen, der genau wusste, was er wollte.
In der Politik freilich musste der »Märchenkönig« schnell einsehen, dass seinem Gestaltungswillen Grenzen gesetzt waren: Die äußerst mächtige Ministerialbürokratie, aber auch Verfassung und Landtag, empfand er immer wieder als Hemmschuh für seine eigenen Pläne und Vorstellungen. In den Krisen von 1866 und 1870 versuchte er, im Kontrast zum Säbelrasseln anderer Mächte, den Frieden zu erhalten; wie wir wissen, ohne Erfolg. Nachdem Bayern 1871 Teil des Deutschen Reiches geworden war – woran er allerdings, nach langem Sträuben und Feilschen, selbst mitgewirkt hat – erlebte er sich vollends als machtlos.
Hier sind die Gründe zu suchen, warum Ludwig für die absolutistische Regierungsform im Frankreich Louis' XIV. schwärmte, aber auch, warum er im Laufe der Jahre immer stärker dazu neigte, vor der Politik geradezu davonzulaufen und sich in seine eigene, private Traumwelt zu flüchten. Eine Traumwelt, die er mit seinen Möglichkeiten unerhört prächtig gestalten konnte und vor der wir heute staunend stehen – ohne daran zu denken, dass es letztlich ein unglücklicher Mann war, der uns all diesen Prunk hinterlassen hat.

The King Ludwig Museum

Those who are interested to know more about the fairy-tale king after touring the palace will find the King Ludwig II Museum on the ground floor useful. There one can see models of his other completed and planned buildings, tableware and other accessories for his own use, as well as furnishings for his palaces including complete interior decorations, all of which show the monarch to be a keen customer of the Bavarian craft industry. Moreover, as a man with many interests and a distinctive will to create he knew exactly what he wanted.

Le musée du roi Louis

Si vous voulez en savoir davantage sur le roi de contes de fées, vous trouverez des documents au König-Ludwig-II-Museum, installé au rez-de-chaussée. Des maquettes de ses autres constructions, exécutées ou en projet. De la vaisselle et autres accessoires pour l'usage personnel ainsi que des détails de décoration pour ses châteaux jusqu'à du mobilier complet de chambres, tout ceci indique que le monarque faisait travailler les artisans bavarois, qu'il était un homme aux intérêts multiples et à la volonté de réalisation décoratrice très prononcée sachant bien ce qu'il voulait.

Il Museo di Ludovico II.

Chi dopo la visita al Castello vorrebbe sapere di più sul Re delle favole verrà soddisfatto al Museo di Ludovico II. al piano terra. Sono esposti i modelli di altre sue opere architettoniche eseguite e progettate, stoviglie e altri accessori per uso personale come anche particolari d'arredamento per i suoi Castelli fino ad interi arredamenti di stanze. Tutto ciò mostra il monarca come assiduo committente per l'artigianato bavarese e uomo dai molti interessi con una forte determinazione creativa e che sapeva quello che voleva.

ルードヴィッヒ王の美術館

城見学のあと、「童話の王様」についてもっと知りたい方は、一階にあるルードヴィッヒ2世美術館へどうぞ。他の場所に建てられ、計画された数々の城の模型、王自身が使用した食器類、アクセサリー、城の調度品、一部屋分の調度品などは、王がバイエルンの美術工芸家の良い顧客であり、際立った様式の好み、多彩な興味を持ち、自分の目的をしっかりと持っていた人間であることを表しています。

Ludwig II. in Generalsuniform. Gemälde von Ferdinand Piloty, 1865

Ludwig II in general's uniform. Portrait by Ferdinand Piloty, 1865

Louis II en uniforme de général. Peinture de Ferdinand Piloty,1865

Ludovico II. in uniforme da generale: dipinto di Ferdinand Piloty, 1865

軍服を着たルードヴィッヒ王　1865年 フェルディナンド・ピロティ作

Die Gartenanlagen von Herrenchiemsee

Der heutige Besucher betritt das Schloss sozusagen durch die Gartentür, nämlich von der Westseite mit den großzügig gestalteten Parkanlagen. Außer der prächtigen Fassade sind hier die drei aufwendig gestalteten Brunnen ein Blickfang. Erst seit einigen Jahren speien sie tatsächlich Wasser: Die Bassins für die noch nicht fertig gestellten Wasserspiele wurden nämlich nach dem Tod des Königs zweckentfremdet und mit Rasen bepflanzt. Fast ein Jahrhundert lang präsentierten sie sich in dieser Form, ehe dieses i-Tüpfelchen der königlichen Anlagen schließlich zum Leben erweckt werden konnte.

The Gardens at Herrenchiemsee

Nowadays visitors enter the palace through the garden gate, as it were, namely from the west with its generous grounds. Apart from the splendid facade, the three lavishly designed fountains catch the eye. They have been spouting water only for the last few years. After the king's death, the pools for the unfinished fountains lost their purpose and were covered with grass. It remained so for a hundred years until this final detail of the royal park was completed and the fountains could at last spout into action.

Le parc de Herrenchiemsee

Le visiteur entre dans le château pour ainsi dire par la porte du jardin, du côté Ouest où se déploient de splendides jardins. En dehors de la superbe façade, le regard est retenu par trois magnifiques fontaines qui ne crachent de l'eau que depuis quelques années: en effet les bassins desquels devaient naître les jeux d'eau pas encore terminés ont été recouverts de gazon après la mort du roi. C'est ainsi qu'ils existèrent près de cent ans quand pour couronner le parc royal on en termina l'exécution et qu'ils purent entrer en fonction.

I Giardini di Herrenchiemsee

Oggi il visitatore accede al Castello per cosi dire «attraverso il giardino», cioè dalla parte ovest con i suoi ampi parchi. Oltre alla pomposa facciata si vedono subito le magnifiche fontane. Soltanto da pochi anni ne esce veramente acqua: infatti dopo la morte del Re nelle vasche progettate originarimente per i giochi d'acqua e non ancora completate venne seminata erba. Per circa cent'anni le fontante si sono presentate in questo modo prima che venne dato il «tocco finale» ai parchi reali e le fontane fatte funzionare come progettate dal Re.

ヘレンキムゼー城の庭園

今日城を訪れる客は、庭に通じる扉から城に出入りします。これは、広大な庭園のある、城の西側にあります。豪華な建物の正面壁の他には、３つの贅沢な作りの噴水が目につきますが、これらは数年前から実際に噴水として使用されています。未完成の噴水の水盤は、王の死後本来の目的には使用されず、その上に芝が植えられました。庭園の目玉であった噴水は、約100年後には完成され、日の目を見ることが出来ました。

Detail der Westfassade; rechts das Bassin des Fortuna-Brunnens
Detail of the western facade, basin of the Fortuna Fountain on the right
Détail de la façade Ouest; à droite le bassin de la fontaine Fortuna
Particolare della facciata ovest, a destra la vasca della Fontana della Fortuna
西側壁正面の詳細、右 ― フォートゥナ噴水の水盤

Blick aus dem Schlossfenster auf die Gartenanlagen; in der Mitte der Latona-Brunnen
View from the Palace window to the gardens with Latona Fountain in the centre
Vue depuis la fenêtre du château sur les jardins; au-milieu la fontaine de Latone
Vista sui giardini dalla finestra del Castello; al centro la Fontana di Latona
城の窓から庭を見下ろした風景：中央 ― ラトナ噴水

Der Latona-Brunnen
The Latona Fountain
La fontaine de Latone
La Fontana di Latona
ラトナ噴水

Panorama der Gartenanlagen und der Westfassade
Panoramic view of the gardens and the western facade
Panorama des jardins et de la façade Ouest
Panoramica dei giardini e della facciata ovest
庭と西側壁正面のパノラマ

→

Winterstimmung am Chiemsee

Wenn Schnee und Frost einziehen, wird es am Chiemsee zunächst einmal ungewohnt ruhig: Schon der Hafen Prien-Stock mit dem jetzt gähnend leeren Riesen-Parkplatz ist kaum wieder zu erkennen. Während das nur mäßig besetzte Schiff durch Nebelbänke zur Herreninsel gleitet, poltern da und dort schon kleine Eisschollen gegen den Rumpf.
An einem solchen Januartag die Herreninsel zu erkunden, ist ein ganz besonderes Erlebnis: Die müde Wintersonne lässt den Schnee rötlich-golden glänzen, das Areal um das Schloss wirkt wie ausgestorben. An einer solchen Stimmung hätte der »Märchenkönig« sicher seine Freude gehabt!
Sobald aber der See eine begehbare Eisdecke trägt – was nicht jedes Jahr vorkommt –, ändert sich das Bild völlig: Dann bewegen sich an den Wochenenden oft wahre Völkerwanderungen auf dem freigegebenen markierten Weg über das Eis in Richtung Herreninsel. Die rare Gelegenheit zu Fuß dorthin zu gelangen will sich keiner entgehen lassen: Meist dauert die Herrlichkeit nicht lange!

Winter at Chiemsee

The onset of snow and frost signals the quiet time at Chiemsee and it is a special experience to explore the Herreninsel on such a day: the weary winter sun gives the snow a red-golden hue and the area around the place appears deserted. The fairy-tale king would have surely enjoyed this atmosphere!
However, as soon as the lake is covered with a thick layer of ice – which does not occur every year – the picture changes completely. At weekends there is a veritable migration of people making their way over the ice on the marked path towards the Herreninsel.

Charme hivernal au Chiemsee

Quand la neige et le gel font leur apparition, commence au Chiemsee d'abord un temps de tranquillité silencieuse. Explorer les îles en un tel jour est un événement très particulier. Le soleil d'hiver, dans sa lassitude, fait briller la neige d'un rouge doré, les alentours du château semblent morts. Une telle atmosphère aurait sûrement plu au «roi de contes de fées».
Dès que la couche de glace du lac se solidifie – ce qui n'arrive pas chaque année – le tableau change complètement. En fin de semaine, on assiste à un afflux considérable de promeneurs sur les chemins gelés balisés menant à la Herreninsel.

Paesaggio invernale al lago di Chiemsee

Quando neve e gelo fanno il loro ingresso, per il lago di Chiemsee inizia un periodo di tranquillità. Scoprire l'isola di Herrenchiemsee in un giorno d'inverno è un'emozione del tutto particolare: il timido sole invernale riflette sulla neve in sfumature rosse e dorate, l'areale del Castello sembra deserto. Senza dubbio il «Re delle favole» avrebbe goduto di un'atmosfera del genere!
Appena però il lago si trasforma in una gigantesca lastra di ghiaccio – cosa che non avviene tutti gli anni – l'immagine cambia totalmente: i fine settimana si manifestano veri e propri flussi migratori lungo il percosso marcato sul ghiaccio in direzione dell'isola «Herreninsel».

冬のキムゼー（キム湖）

雪が降り霜が降りる頃には、キムゼーではまず最初に「静寂の時」がやって来ます。このような日にヘレン島（男島）を訪れるのは又とない体験です。まだ眠いと目をこすりながら朝日が雪を朱色と金色に染め、城の周りはしーんと静まり返っています。このような雰囲気の中に、王は喜びを見出していたのでしょう。
湖に厚い氷が張り、その上を歩くことが出来る頃には、（毎年それを期待出来るわけではないのですが、）様子は全く変わってきます。こうなると毎週末のように、氷の上につけられた印を辿って民族の大移動が始まるのです。

Winterlicher Blick auf die Gartenfassade des Schlosses, vorne der zugefrorene »Kanal«
View of the gardens from the Palace in winter with the frozen canal in the foreground
Vue hivernale sur la façade, côté jardin du château, en premier plan le «canal» gelé
Veduta invernale sulla facciata del Castello che da sul giardino, davanti il «canale» ghiacciato
冬の風景 — 城と庭園、手前に見えるのは氷の張った「運河」

Ein besonderes Erlebnis: Wanderung übers Eis zur Herreninsel
Walking over the ice to the Herreninsel is a special experience
Un événement: promenade sur la glace vers la Herreninsel
Un'esperienza unica: passeggiata sul ghiaccio all'isola di Herrenchiemsee
またとない体験：氷の上を歩いてヘレン島まで

Bayerisches Dorf mit Besonderheiten

Die Fraueninsel

Von der Weite wirkt die Fraueninsel wie ein ganz normales bayerisches Dorf, dessen Umgebung auf unerklärliche Weise im See versunken ist und das diese Katastrophe auf ebenso unerklärliche Weise überlebt hat: der Kirchturm mit der obligatorischen Zwiebelhaube, die Ansammlung von Häusern auf einer leichten Anhöhe, die Bäume dazwischen, die Bergkulisse …

Doch noch ehe das Schiff den Landungssteg erreicht, bekommt man den ersten Vorgeschmack darauf, dass einen in dieser kleinen Welt so manches Staunenswerte erwartet: Die gewaltigen Anlagen des Benediktinerinnenklosters, die den Südteil der Insel beherrschen, vermitteln unwillkürlich den Eindruck von Würde und Macht. Zu Recht: Bereits unter Tassilo III. im 8. Jahrhundert gegründet, gehörte das Stift einst zu den reichsten Klöstern in ganz Bayern, mit Besitzungen, die zeitweise bis nach Südtirol reichten. Ebenso bemerkenswert: Die altehrwürdigen Mauern beherbergen noch heute eine lebendige klösterliche Gemeinschaft.

Das Staunen geht nahtlos weiter, wenn wir vor der Torhalle stehen. Dieses älteste unversehrt erhaltene Bauwerk in ganz Bayern, das noch aus der Zeit der Karolinger stammt, stellte einst den Eingang zum Kloster dar.

Der Weg von dort zum Münster führt uns zunächst über den Friedhof. Hier liegt so manche bekannte Persönlichkeit begraben, die im Laufe ihres Lebens Wahl-Fraueninsulaner geworden ist. Dass dabei Maler und Bildhauer besonders häufig vertreten sind, ist kein Zufall: Wurde doch die idyllische kleine Welt im Schatten der Klostermauern im 19. Jahrhundert von den Kunstmalern entdeckt – als Freiluft-»Atelier« wie als Lebensraum. Noch heute erinnern uns Namen wie Ruben, Lugo oder Roubaud an die blühende Künstlerkolonie, die auf Frauenchiemsee tätig war.

Das Münster geht auf das 12. Jahrhundert zurück und zeigt in seinem Inneren heute ein erstaunlich harmonisch wirkendes Nebeneinander von Romanik, Gotik und Barock. Von ihrer größten kunstgeschichtlichen Attraktion, den Resten romanischer Fresken, kann der Besucher nur einen kleinen Teil (in den Bogenlaibungen um den Altarraum) bewundern. Die gotischen Gewölbe entziehen das Gros dieser Schätze seinem Blick, sie sind heute nur noch über den Dachraum der Kirche zugänglich.

Die Irmengardkapelle hinter dem Altarraum ist die letzte Ruhestätte der seligen Irmengard. Vom Leben der großen Wohltäterin wissen wir nicht viel mehr, als dass sie als Äbtissin von Frauenchiemsee 866 mit nur 34 Jahren starb. Aber Ruhe im Grab haben ihr ihre zahlreichen (Reliquien-) Verehrer nicht gelassen: Bereits um das Jahr 1000 werden die heiligen Gebeine wieder ans Tageslicht geholt; die Aktion hatte zweifellos mit apokalyptischen Ängsten zu tun, die in der Zeit der Jahrtausendwende umgingen. Das nächste Mal wurde Irmengard bezeichnenderweise 1631 ausgegraben, in der Zeit der beginnenden Schwedengefahr im Dreißigjährigen Krieg. Die vorläufig letzte Grabesöffnung erfolgte 1922 im Zusammenhang mit dem Seligsprechungsprozess.

Immer zur Weihnachtszeit kann das Münster mit einer besonderen Attraktion aufwarten: Dann wird hier eine der schönsten Barockkrippen Süddeutschlands aufgebaut. Für die »Hochzeit zu Kana« backen die Klosterfrauen eigens echte kleine Kuchen, mit denen die Hochzeitstafel dekoriert wird.

Wir haben fast vergessen, dass wir uns ja in einem – wenn auch ungewöhnlichen – bayerischen Dorf befinden. Und da gehört neben die Kirche das Wirtshaus. Auf Frauenchiemsee ist es nicht nur eines: Klosterwirt, Inselwirt, Zur Linde – der Besucher hat freie Auswahl. Am besten passt in dieser Umgebung ein Fischgericht. Denn selbstverständlich war für das »Dorf im See« die Fischerei immer der Erwerbszweig schlechthin. Und gerade der Tourismus hat mit dazu beigetragen, dass man auf der Fraueninsel auch in diesem Punkt sich selber treu geblieben ist.

The Fraueninsel

The first impression of the Fraueninsel is that of a Bavarian village in the midst of the lake. The astonishing characteristics of the island, merely 14 hectares in size, are only revealed at second glance: the ancient convent where nuns have been praying and working for 1200 years, the famous Carolingian porch which used to be the entrance hall to the convent and today is Bavaria's oldest preserved monument, and finally the Minster with its free-standing bell tower.
The interior of this church shows an astoundingly harmonious juxtaposition of Romanesque, Gothic and Baroque styles. The greatest attraction of the Minster from the point of view of art history are the remnants of Romanesque frescoes, but the visitor can admire only a small part inside the arches around the chancel. Since the building of the Gothic vaulted roof, the bulk of this treasure is outside the body of the church, in the roof.
For centuries the inhabitants of the Fraueninsel earned their living chiefly from fishing. Then however, the island was "discovered": first by artists – in the nineteenth century a painters' colony flourished here – later by day trippers and tourists. It is thanks to them that the Fraueninsel has now virtually become a "gastronomic island" and enabled the traditional fishing trade to prosper again.

Fraueninsel

Un village bavarois au-milieu d'un lac, c'est ainsi que l'on pourrait décrire la première impression de cette Fraueninsel. Ce n'est qu'au second coup d'oeil que l'on découvre des particularités étonnantes sur cet îlot de 14 hectares. D'abord un couvent riche en traditions dans lequel depuis 1200 ans des soeurs prient et travaillent; un portail de l'époque carolingienne qui fut l'entrée du couvent et qui constitue aujourd'hui le monument ancien le mieux conservé en Bavière. Et enfin l'église avec son campanile.
L'intérieur de l'église présente un étrange côtoiement harmonieux d'art roman, gothique et baroque. On ne peut cependant qu'admirer une petite partie des restes des fresques romanes (dans les arcs ovales et le sanctuaire), en réalité la plus grande attraction du monastère du point de vue de l'histoire de l'art puisque la plus grande partie de ces trésors se trouve depuis la pose de la voûte gothique, hors de la nef, sous les combles.
Les habitants de la Fraueninsel ont vécu pendant des siècles essentiellement de la pêche . Et puis l'île fut «découverte», d'abord par des artistes – au XIXe siècle, il y fleurit une colonie de peintres – puis par les touristes. Ces derniers ont contribué à ce que la Fraueninsel devienne «une île de la gastronomie» et à relancer la pêche traditionnelle.

L'isola «Fraueninsel»

Un villaggio bavarese in mezzo ad un lago – questa la prima impressione dell'isola «Fraueninsel». Poi però si scoprono le straordinarie particolarità di quest'isola grande soltanto 14 ettari: un convento ricco di tradizioni nel quale da 1200 anni suore pregano e lavorano; il famoso porticato che risale ai tempi dei Carolingi e che un tempo fungeva da ingresso al convento oggi è il più antico monumento conservato integralmente in Baviera, e infine la cattedrale con il suo campanile distaccato.
All'interno di questa chiesa uno straordinario insieme armonioso tra gli stili del romanticismo, del gotico e del barocco. La più ammirevole attrazione storico-artistica della cattedrale, sono i resti degli affreschi romanici, dei quali il visitatore può ammirare soltanto una piccola parte (negli intradossi degli archi intorno all'abside). La maggior parte di questi tesori è stato portato fuori dalla chiesa già dai tempi della costruzione della volta gotica – e cioè in soffitta.
Gli abitanti della «Fraueninsel» per secoli hanno vissuto esclusivamente della pesca. Ma poi l'isola venne «scoperta»: dapprima da artisti – nel '800 si era formato una fiorente colonia di pittori –, più tardi da villeggianti e turisti. Quest'ultimi hanno fatto sì che sull'isola, che oggi è quasi divenuta «un'isola gastronomica», il campo economico della pesca abbia ritrovato una nuova fioritura.

フラウエン島　(女島)

「湖上のバイエルン村」とでもフラウエン島の印象を表現できるでしょうか。もう一度よく見直してみて初めて、そのわずか14ヘクタールの広さしかない島が持っている特徴に気づきます。 1200年前から修道女が祈りを捧げ仕事をしている伝統的な修道院：有名なカロリンガー時代の入り口ホール ー 当時修道院の入り口ホールであった所は 、現在バイエルンで最古の無傷の記念建造物です。
この教会の内部はロマネスク様式、ゴシック様式、バロック様式が驚くほどうまく調和し合っています。この大聖堂の美術史上の大きな魅力であるロマネスク様式のフレスコ画は、残念ながらほとんど鑑賞することができなくなっています。ゴチック様式の丸天井をはめ込んで以来、この聖堂の価値の大部分はその裏側 — 屋根裏 — に隠れてしまったからです。
フラウエン島 の住民は何百年もの間、主に湖でとれる魚でひっそりと生計を立てていましたが、この島が最初は芸術家によって（19世紀には画家村がありました。)、その後観光客によって「発見」されました。今日、「飲食店の島」になってしまったこの島では、その観光客のおかげで伝統的な漁業が復活しています。

Die Fraueninsel, eine Insel der Gastronomie
The Fraueninsel, a "gastronomic island"
La Fraueninsel, une île de la gastronomie
L'isola «Fraueninsel», un'isola gastronomica
フラウエン島、飲食店の島

Eine blühende Idylle: Garten auf Frauenchiemsee
An idyllic place in bloom: gardens at Frauenchiemsee
Une idylle de fleurs: jardin à Frauenchiemsee →
Un idillio in fiore; giardino sull'isola Frauenchiemsee
花の咲き乱れる田園風景：フラウエン島のz庭園

Klosterwirt

Ein harmonisches Potpourri der Stile von Romanik bis Barock: das Innere des Münsters

The interior of the Minster is a harmonious mixture of styles from Romanesque to the Baroque

Un pêle-mêle harmonieux de styles du roman au baroque : l'intérieur de l'église

Un armonico insieme di diversi stili dal romanticismo al barocco: l'interno della cattedrale

大聖堂の内部：ロマネスク様式からバロック様式までが入り乱れながらも調和している。

Die Frauenchiemseer Barockkrippe, eine der schönsten in ganz Süddeutschland; hier die »Hochzeit von Kana«

The Frauenchiemsee Baroque crèche, one of the most beautiful in all of southern Germany; here the Wedding at Cana

La crèche baroque de Frauenchiemsee, une des plus belles d'Allemagne du Sud; ici les «Noces de Cana»

Il presepe barocco di Frauenchiemsee, uno dei più belli della Germania meridionale; qui le «Nozze di Cana»

バロックのクリッペ（キリスト降誕のうまやの情景を模したもの）、南ドイツで最も美しいもの：「カナの結婚」

Die Torhalle, das älteste unversehrt erhaltene Baudenkmal Bayerns
The Porch, the oldest preserved historical monument in Bavaria
Le portail, le monument intact le plus ancien de Bavière
Il porticato, il monumento della Baviera più antico conservato interamente
正面入り口ホール、バイエルンで最古の無傷の記念建造物

Ein Gang durch die Geschichte: Galerie der Porträts der Frauenchiemseer Äbtissinnen
A stroll through history: Portrait Gallery of the Abbesses at Frauenchiemsee
Promenade à travers l'histoire : galerie des portraits des abbesses de Frauenchiemsee
Un passaggio attraverso la storia: galleria dei ritratti delle badesse di Frauenchiemsse
歴史の道： フラウエンキムゼーの女子大修道院長の肖像画

Heute noch eine lebendige Klostergemeinschaft: Abtei Frauenchiemsee
The Frauenchiemsee Abbey is still an active convent today
Aujourd'hui encore une communauté bien vivante: le couvent de Frauenchiemsee
Ancora oggi una viva comunità claustrale: il convento di Frauenchiemsee →

Einen Besuch wert: der Inselfriedhof. Gleich daneben das Münster mit seinem frei stehenden Glockenturm.

The island's cemetery is worth a visit and the adjacent Minster with its free-standing bell tower

La visite en vaut la peine : le cimetière de l'île. A côté de l'église avec son campanile

Ne vale una visita: il cimitero insulare accanto alla Cattedrale con il suo campanile distaccato

一見の価値がある島の墓地　このすぐ横には大聖堂とその鐘楼が立っています。

←

Ein bayerisches Dorf mitten im See: Blick von Gstadt auf Frauenchiemsee

A Bavarian village in the middle of a lake: view of Frauenchiemsee from Gstadt

Un village bavarois au-milieu d'un lac : vue depuis Gstadt sur Frauenchiemsee

Un villaggio bavarese in mezzo al lago: vista da Gstadt su Frauenchiemsee

湖の真ん中にあるバイエルンの村：グシュタットから見たフラウエンキムゼー

Texte: Bernhard M. Edlmann, Raubling
Übersetzungen:
Englisch: Suzanne Frank-Kilner, München
Französisch: Nicole Bornhausen, München
Italienisch: Margherita Pirrone, München
Japanisch: Ayumi Scherf, München
Satz: Buch-Werkstatt GmbH, Bad Aibling
Japanischer Satz: Orecon WFO, München
Lithografie: Fotolito Varesco, Auer, Italien
Druck und Bindung: Istituto Grafico Bertello
Printed in Italy

ISBN 3-475-52923-8

Autoren und Verlag danken
Äbtissin Domitilla, Frauenchiemsee,
Herrn Ewald Meindl, Bad Endorf,
sowie der Bayerischen Verwaltung
der staatlichen Schlösser, Gärten und Seen
für die freundliche Unterstützung ihrer Arbeit.